Here I go

written by Jay Dale

illustrated by Michelle Draycott

Here I go.
I can go up this hill.

2

Here I go.
I can go up this mountain.

Here I go.
I can go up this tree.

Here I go.

I can go up this rock.

Here I go.

I can go up this rope.

Here I go.

I can go up this cliff.

13

Here I go.
I can go up this wall.

Here I go.

I can go up this ladder.